# 小蜜蜂歡樂歌謠

40首輕快的好聽歌曲，陪孩子度過開心的童年！

風車圖書出版
WINDMILL

# "目錄"


第1首・世界小小小 6
第2首・快樂向前走 8
第3首・大公雞 10
第4首・玩具國 12
第5首・泥娃娃 14
第6首・跳舞歌 16
第7首・歡樂歌 18
第8首・伊比ㄚㄚ 20
第9首・潑水歌 22
第10首・放風箏 24
第11首・我願做個好小孩 26

第12首．快樂人生 28
第13首．大野狼 30
第14首．螞蟻搬豆 32
第15首．農家好 34
第16首．送別 36
第17首．舉你的右手擺一擺 38
第18首．小花貓 40
第19首．農夫 42
第20首．我的朋友在那裡 44
第21首．小陀螺 46
第22首．小蜜蜂 48
第23首．握緊拳頭 50
第24首．紫竹調 52
第25首．四海之星 54
第26首．多娜多娜 56
第27首．我愛鄉村 58
第28首．卡布里島 60
第29首．虹彩妹妹 62
第30首．河水 64
第31首．布穀 66
第32首．太陽出來了 68
第33首．我來唱一首歌 70
第34首．好春光72
第35首．Goodbye記得我 74
第36首．踏雪尋梅 76
第37首．沙里洪巴 78
第38首．茉莉花 80
第39首．高山青 82
第40首．恭喜恭喜 84

〔第1首〕
“世界”
小小小
大家常歡笑…

## 〝世界小小小〞

大家常歡笑　眼淚不會掉

時常懷希望　不必心驚跳

讓我們同歡笑

這個小世界

小小人間多美妙

世界真是小小小

小的非常妙妙妙

這是一個小世界

小的真美妙

〔第2首〕
“快樂”
向前走
我們快樂的向前走…

## 〃快樂向前走〃

我們快樂的向前走

歌聲響透雲霄

太陽高掛在晴空中

春風也微微笑

哈雷伊　哈雷啦　哈雷伊

哈雷啦　哈哈哈哈哈

哈雷伊　哈雷啦

快樂的向前走

〔第3首〕
“大公雞”
大公雞請你早點啼…

## "大公雞"

大ㄉㄚ公ㄍㄨㄥ雞ㄐㄧ請ㄑㄧㄥ你ㄋㄧ早ㄗㄠ點ㄉㄧㄢ啼ㄊㄧ

好ㄏㄠ讓ㄖㄤ小ㄒㄧㄠ妹ㄇㄟ和ㄏㄜ小ㄒㄧㄠ弟ㄉㄧ

大ㄉㄚ家ㄐㄧㄚ都ㄉㄡ早ㄗㄠ起ㄑㄧ

早ㄗㄠ起ㄑㄧ身ㄕㄣ體ㄊㄧ好ㄏㄠ讀ㄉㄨ書ㄕㄨ最ㄗㄨㄟ容ㄖㄨㄥ易ㄧ

專ㄓㄨㄢ心ㄒㄧㄣ讀ㄉㄨ幾ㄐㄧ遍ㄅㄧㄢ永ㄩㄥ遠ㄩㄢ不ㄅㄨ忘ㄨㄤ記ㄐㄧ

大ㄉㄚ公ㄍㄨㄥ雞ㄐㄧ請ㄑㄧㄥ你ㄋㄧ早ㄗㄠ點ㄉㄧㄢ啼ㄊㄧ

好ㄏㄠ讓ㄖㄤ小ㄒㄧㄠ妹ㄇㄟ和ㄏㄜ小ㄒㄧㄠ弟ㄉㄧ

大ㄉㄚ家ㄐㄧㄚ都ㄉㄡ早ㄗㄠ起ㄑㄧ

〔第4首〕

# "玩具國"

滴答答滴答答…

〝玩具國〞

滴ㄉㄧ答ㄉㄚ答ㄉㄚ滴ㄉㄧ答ㄉㄚ答ㄉㄚ

我ㄨㄛˇ來ㄌㄞˊ吹ㄔㄨㄟ喇ㄌㄚˇ叭ㄅㄚ

娃ㄨㄚˊ娃ㄨㄚ˙也ㄧㄝˇ出ㄔㄨ來ㄌㄞˊ走ㄗㄡˇ走ㄗㄡˇ走ㄗㄡˇ

小ㄒㄧㄠˇ狗ㄍㄡˇ汪ㄨㄤ汪ㄨㄤ開ㄎㄞ汽ㄑㄧˋ車ㄔㄜ

嘟ㄉㄨ嘟ㄉㄨ嘟ㄉㄨ

這ㄓㄜˋ樣ㄧㄤˋ走ㄗㄡˇ走ㄗㄡˇ　那ㄋㄚˋ樣ㄧㄤˋ走ㄗㄡˇ走ㄗㄡˇ

啦ㄌㄚ啦ㄌㄚ啦ㄌㄚ

〔第5首〕
“泥娃娃”
泥娃娃 泥娃娃 …

## "泥娃娃"

泥娃娃　泥娃娃

一個泥娃娃

也有那眉毛　也有那眼睛

眼睛不會眨

泥娃娃　泥娃娃

一個泥娃娃

也有那鼻子　也有那嘴巴

嘴巴不說話

〔第6首〕
“跳舞歌”
來來來大家來拉成個圈...

"跳舞歌"

來ㄌㄞˊ來ㄌㄞˊ來ㄌㄞˊ　大ㄉㄚˋ家ㄐㄧㄚ來ㄌㄞˊ

拉ㄌㄚ成ㄔㄥˊ個ㄍㄜ˙圈ㄑㄩㄢ

一ㄧ二ㄦˋ三ㄙㄢ　一ㄧ二ㄦˋ三ㄙㄢ

整ㄓㄥˇ齊ㄑㄧˊ好ㄏㄠˇ看ㄎㄢˋ

來ㄌㄞˊ來ㄌㄞˊ來ㄌㄞˊ　大ㄉㄚˋ家ㄐㄧㄚ來ㄌㄞˊ

拉ㄌㄚ成ㄔㄥˊ個ㄍㄜ˙圈ㄑㄩㄢ

轉ㄓㄨㄢˇ一ㄧ轉ㄓㄨㄢˇ　跳ㄊㄧㄠˋ一ㄧ跳ㄊㄧㄠˋ

從ㄘㄨㄥˊ早ㄗㄠˇ到ㄉㄠˋ晚ㄨㄢˇ

〔第7首〕
"歡樂歌"
青天高高 白雲飄飄…

## "歡樂歌"

青天高高　白雲飄飄

太陽當空在微笑

枝頭小鳥　吱吱在叫

魚兒水面任跳躍

花兒盛開　草兒彎腰

好像歡迎客人到

我們心中充滿歡喜

人人快樂又逍遙

〔第8首〕

# “伊比丫丫”

伊比丫丫伊比伊比丫..

## "伊比丫丫"

伊(ㄧ)比(ㄅㄧˇ)丫(ㄧㄚ)丫(ㄧㄚ)

伊(ㄧ)比(ㄅㄧˇ)伊(ㄧ)比(ㄅㄧˇ)丫(ㄧㄚ)

伊(ㄧ)比(ㄅㄧˇ)丫(ㄧㄚ)丫(ㄧㄚ)

伊(ㄧ)比(ㄅㄧˇ)伊(ㄧ)比(ㄅㄧˇ)丫(ㄧㄚ)

伊(ㄧ)比(ㄅㄧˇ)丫(ㄧㄚ)丫(ㄧㄚ)

伊(ㄧ)比(ㄅㄧˇ)伊(ㄧ)比(ㄅㄧˇ)丫(ㄧㄚ)丫(ㄧㄚ)

伊(ㄧ)比(ㄅㄧˇ)伊(ㄧ)比(ㄅㄧˇ)丫(ㄧㄚ)丫(ㄧㄚ)

伊(ㄧ)比(ㄅㄧˇ)伊(ㄧ)比(ㄅㄧˇ)丫(ㄧㄚ)

〔第9首〕
“潑水歌”
昨天我打從你門前過…

## 〝潑水歌〞

昨天我打從你門前過

你正提著水桶往外潑

潑在我的皮鞋上

路上的行人笑得咯咯咯

你什麼話也沒有對我說

你只是瞇著眼睛望著我

嚕啦啦嚕啦啦

嚕啦嚕啦ㄉㄟ

嚕啦嚕啦嚕啦ㄉㄟ

〔第10首〕
“放風箏”
啦啦啦今天天氣真好…

## 〃放風箏〃

啦啦啦

今天天氣真好

來來來

回家放風箏

蝴蝶老鷹飛機小鳥

做得都很精巧

放啊放 看誰放得高

〔第11首〕
"我願做個"好小孩
我願做個好小孩 …

## 〃我願做個好小孩〃

我ㄨㄛˇ願ㄩㄢˋ做ㄗㄨㄛˋ個˙ㄍㄜ好ㄏㄠˇ小ㄒㄧㄠˇ孩ㄏㄞˊ

身ㄕㄣ體ㄊㄧˇ清ㄑㄧㄥ潔ㄐㄧㄝˊ

精ㄐㄧㄥ神ㄕㄣˊ爽ㄕㄨㄤˇ快ㄎㄨㄞˋ

無ㄨˊ論ㄌㄨㄣˋ走ㄗㄡˇ到ㄉㄠˋ哪ㄋㄚˇ裡ㄌㄧˇ

使ㄕˇ得˙ㄉㄜ人ㄖㄣˊ人ㄖㄣˊ愛ㄞˋ

使ㄕˇ得˙ㄉㄜ人ㄖㄣˊ人ㄖㄣˊ愛ㄞˋ

〔第12首〕
“快樂人生”
吹口哨向前行…

## 〝快樂人生〞

吹口哨向前行
尋求快樂人生
肩並肩去踏青
野外好風景
旭日昇照當空
彩霞已無影蹤
高山流水美如畫
盡入眼簾中

〔第13首〕
“大野狼”
小羊兒乖乖…

## 〃大野狼〃

小羊兒乖乖

把門兒開開

快點兒開開

我要進來

不開不開不能開

媽媽沒回來

誰也不能開

〔第14首〕
"螞蟻搬豆"
一隻螞蟻在洞口…

〝蝸蟻搬豆〞

一隻螞蟻在洞口
找到一粒豆
用盡力氣搬不動
只是搖搖頭
左思右想好一會
想出好辦法
回頭請來好朋友
合力抬著走

〔第15首〕
"農家好"
農家好 農家好…

〝農家好〞

農家好　農家好

綠水青山四面繞

你種田　我拔草

大家忘辛勞

秋天忙過　冬天到

米穀躍出農事了

農家好　農家好

衣暖菜飯飽

〔第16首〕

# "送别"

長亭外 古道邊...

## 〃送別〃

長亭外　古道邊

芳草碧連天

晚風拂柳笛聲殘

夕陽山外山

天之涯地之角

知交半零落

一觚濁酒盡餘歡

今宵別夢寒

〔第17首〕
"舉你的右"
手擺一擺
來來來…

〝舉你的右手擺一擺〞

來ㄌㄞˊ來ㄌㄞˊ來ㄌㄞˊ

朋ㄆㄥˊ友ㄧㄡˇ們˙ㄇㄣ

舉ㄐㄩˇ你ㄋㄧˇ的˙ㄉㄜ右ㄧㄡˋ手ㄕㄡˇ擺ㄅㄞˇ一ㄧˋ擺ㄅㄞˇ

向ㄒㄧㄤˋ前ㄑㄧㄢˊ擺ㄅㄞˇ

向ㄒㄧㄤˋ後ㄏㄡˋ擺ㄅㄞˇ

繞ㄖㄠˋ一ㄧˊ個˙ㄍㄜ圓ㄩㄢˊ圈ㄑㄩㄢ

跟ㄍㄣ我ㄨㄛˇ來ㄌㄞˊ

〔第18首〕
"小花貓"
咪咪小花貓…

〃小花貓〃

咪咪小花貓
咪咪小花貓
快來吃飯 快來吃飯
快到我這裡
餵你一條魚
喵喵 謝謝 謝謝
謝謝小小姊姊
喵喵喵喵 喵 喵
喵喵喵喵 喵 喵

〔第19首〕
"農夫"
一滴血汗 一粒米…

〃農夫〃

一滴血汗　一粒米

耕田下種勤

辛辛苦苦那敢休息

只盼秋風快快吹起

收了稻穀輾成米

一年辛苦都忘記

收完稻穀可休息

農夫的生活樂無比

〔第20首〕
“我的朋友”在那裡
一二三四五六七…
1
2
3
4
5
7

〝我的朋友在那裡〞

一二三四

五六七

我的朋友

在那裡

在這裡

在這裡

我的朋友在這裡

〔第21首〕
“小陀螺”
小陀螺 ㄎㄡ ㄉㄛ…

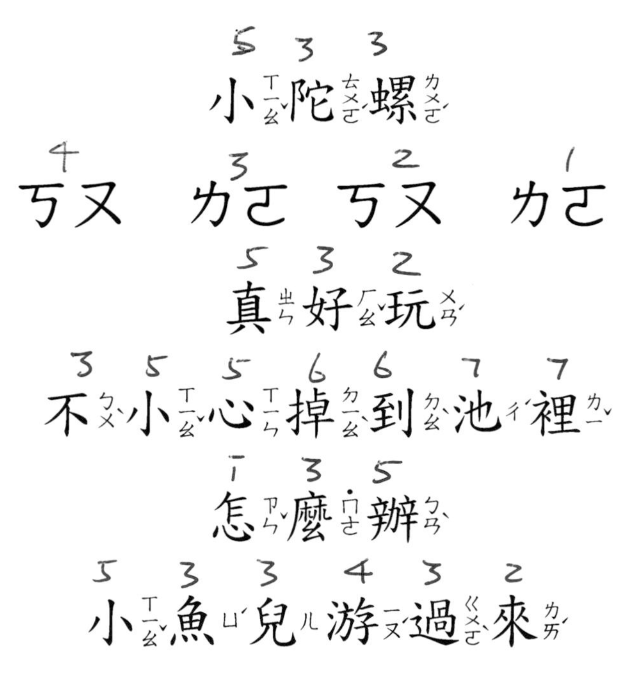

# "小陀螺"

5 3 3
小（ㄒㄧㄠ）陀（ㄊㄨㄛ）螺（ㄌㄨㄛ）

4 3 2 1
ㄎㄡ ㄌㄜ ㄎㄡ ㄌㄜ

5 3 2
真（ㄓㄣ）好（ㄏㄠ）玩（ㄨㄢ）

3 5 5 6 6 7 7
不（ㄅㄨ）小（ㄒㄧㄠ）心（ㄒㄧㄣ）掉（ㄉㄧㄠ）到（ㄉㄠ）池（ㄔ）裡（ㄌㄧ）

1 3 5
怎（ㄗㄣ）麼（ㄇㄜ）辦（ㄅㄢ）

5 3 3 4 3 2
小（ㄒㄧㄠ）魚（ㄩ）兒（ㄦ）游（ㄧㄡ）過（ㄍㄨㄛ）來（ㄌㄞ）

向（ㄒㄧㄤ）他（ㄊㄚ）問（ㄨㄣ）好（ㄏㄠ）

他（ㄊㄚ）要（ㄧㄠ）小（ㄒㄧㄠ）陀（ㄊㄨㄛ）螺（ㄌㄨㄛ）陪（ㄆㄟ）他（ㄊㄚ）玩（ㄨㄢ）一（ㄧ）玩（ㄨㄢ）

〔第22首〕
“小蜜蜂”
小蜜蜂嗡嗡嗡 ...

## 〃小蜜蜂〃

小蜜蜂

嗡嗡嗡

飛到西

飛到東

一時一刻不放鬆

忙什麼

釀蜜好過冬

〔第23首〕
“握緊拳頭”
握緊拳頭…

## 〝握緊拳頭〞

握緊拳頭

打開拳頭

拍拍手掌擺一擺手

握緊拳頭

打開拳頭

把兩隻胳臂向上舉

耳朵兩個　眼睛兩個

鼻子一個　嘴巴一個

〔第24首〕
“紫竹調”
一根紫竹直苗苗…

〃紫竹調〃

一根紫竹直苗苗

送給寶寶做管簫

簫兒對正口

口兒對正簫

簫中吹出是新調

小寶寶

伊滴伊滴學會了

〔第25首〕

# “四海之星”

我有個他…

"四海之星"

我ㄨㄛˇ有ㄧㄡˇ個ㄍㄜˋ他ㄊㄚ

瀟ㄒㄧㄠ灑ㄙㄚˇ多ㄉㄨㄛ情ㄑㄧㄥˊ

人ㄖㄣˊ人ㄖㄣˊ都ㄉㄡ說ㄕㄨㄛ　四ㄙˋ海ㄏㄞˇ之ㄓ星ㄒㄧㄥ

我ㄨㄛˇ有ㄧㄡˇ個ㄍㄜˋ她ㄊㄚ

美ㄇㄟˇ麗ㄌㄧˋ溫ㄨㄣ存ㄘㄨㄣˊ

人ㄖㄣˊ人ㄖㄣˊ都ㄉㄡ說ㄕㄨㄛ　四ㄙˋ海ㄏㄞˇ之ㄓ花ㄏㄨㄚ

〔第26首〕
“多娜多娜”
有那一天…

“多娜多娜”

有ㄧㄡˇ那ㄋㄚˋ一ㄧ天ㄊㄧㄢ　天ㄊㄧㄢ氣ㄑㄧˋ晴ㄑㄧㄥˊ朗ㄌㄤˇ

要ㄧㄠˋ去ㄑㄩˋ市ㄕˋ場ㄔㄤˇ的ㄉㄜ˙路ㄌㄨˋ上ㄕㄤˋ

看ㄎㄢˋ到ㄉㄠˋ一ㄧ輛ㄌㄧㄤˋ破ㄆㄛˋ舊ㄐㄧㄡˋ馬ㄇㄚˇ車ㄔㄜ

載ㄗㄞˋ著ㄓㄜ˙小ㄒㄧㄠˇ犢ㄉㄨˊ牛ㄋㄧㄡˊ往ㄨㄤˇ市ㄕˋ場ㄔㄤˇ去ㄑㄩˋ

假ㄐㄧㄚˇ如ㄖㄨˊ我ㄨㄛˇ有ㄧㄡˇ一ㄧ副ㄈㄨˋ堅ㄐㄧㄢ強ㄑㄧㄤˊ能ㄋㄥˊ飛ㄈㄟ的ㄉㄜ˙翅ㄔˋ膀ㄅㄤˇ

我ㄨㄛˇ就ㄐㄧㄡˋ會ㄏㄨㄟˋ立ㄌㄧˋ刻ㄎㄜˋ飛ㄈㄟ到ㄉㄠˋ

他ㄊㄚ那ㄋㄚˋ快ㄎㄨㄞˋ樂ㄌㄜˋ的ㄉㄜ˙牧ㄇㄨˋ場ㄔㄤˇ

多ㄉㄨㄛ娜ㄋㄚˋ多ㄉㄨㄛ娜ㄋㄚˋ多ㄉㄨㄛ娜ㄋㄚˋ多ㄉㄨㄛ娜ㄋㄚˋ

多ㄉㄨㄛ娜ㄋㄚˋ多ㄉㄨㄛ娜ㄋㄚˋ多ㄉㄨㄛ娜ㄋㄚˋ多ㄉㄨㄛ～

〔第27首〕
“我愛鄉村”
我愛鄉村鄉村風景好…

"我愛鄉村"

我ㄨㄛˇ愛ㄞˋ鄉ㄒㄧㄤ村ㄘㄨㄣ

鄉ㄒㄧㄤ村ㄘㄨㄣ風ㄈㄥ景ㄐㄧㄥˇ好ㄏㄠˇ

山ㄕㄢ上ㄕㄤˋ有ㄧㄡˇ叢ㄘㄨㄥˊ林ㄌㄧㄣˊ

地ㄉㄧˋ上ㄕㄤˋ長ㄓㄤˇ青ㄑㄧㄥ草ㄘㄠˇ

魚ㄩˊ兒ㄦˊ水ㄕㄨㄟˇ中ㄓㄨㄥ游ㄧㄡˊ

鳥ㄋㄧㄠˇ兒ㄦˊ樹ㄕㄨˋ上ㄕㄤˋ叫ㄐㄧㄠˋ

我ㄨㄛˇ愛ㄞˋ鄉ㄒㄧㄤ村ㄘㄨㄣ鄉ㄒㄧㄤ村ㄘㄨㄣ風ㄈㄥ景ㄐㄧㄥˇ好ㄏㄠˇ

〔第28首〕

# “卡布里島”

令人留戀遙遠的卡布里…

## 〝卡布里島〞

令（ㄌㄧㄥˋ）人（ㄖㄣˊ）留（ㄌㄧㄡˊ）戀（ㄌㄧㄢˋ）

遙（ㄧㄠˊ）遠（ㄩㄢˇ）的（ㄉㄜ˙）卡（ㄎㄚˇ）布（ㄅㄨˋ）里（ㄌㄧˇ）

你（ㄋㄧˇ）的（ㄉㄜ˙）景（ㄐㄧㄥˇ）色（ㄙㄜˋ）

既（ㄐㄧˋ）清（ㄑㄧㄥ）新（ㄒㄧㄣ）又（ㄧㄡˋ）美（ㄇㄟˇ）麗（ㄌㄧˋ）

放（ㄈㄤˋ）眼（ㄧㄢˇ）望（ㄨㄤˋ）去（ㄑㄩˋ）

到（ㄉㄠˋ）處（ㄔㄨˋ）是（ㄕˋ）一（ㄧ）片（ㄆㄧㄢˋ）碧（ㄅㄧˋ）綠（ㄌㄩˋ）

我（ㄨㄛˇ）始（ㄕˇ）終（ㄓㄨㄥ）也（ㄧㄝˇ）未（ㄨㄟˋ）能（ㄋㄥˊ）忘（ㄨㄤˋ）懷（ㄏㄨㄞˊ）你（ㄋㄧˇ）

〔第29首〕
“虹彩妹妹”
虹彩妹妹嗯嗨唷…

## 〞虹彩妹妹〞

虹彩妹妹嗯嗨唷

長得好那麼嗯嗨唷

櫻桃小口嗯嗨唷

一點點那麼嗯嗨唷

三月裡來桃花開

我與妹妹正恩愛

八月中秋月正圓

想起了妹妹淚漣漣

〔第30首〕
"河水"
河水靜靜向東流…

## 〝河水〞

河水靜靜向東流

流過鄉村和城市

河水日夜向東流

流過荒野峽谷

河水啊 我託付你

把我的思念和鄉情

帶給我的故鄉人

遙遠的故鄉人

〔第31首〕

# “布穀”

布穀布穀快快布穀...

## 〝布穀〞

布穀布穀快快布穀

春天不布穀

秋天哪有穀

布穀布穀朝催晚促

布穀布穀快快布穀

春天種好穀

秋天收好穀

布穀布穀千叮萬囑

〔第32首〕
"太陽"出來了
公雞啼 小鳥叫…

## 〃太陽出來了〃

公雞啼　小鳥叫

太陽出來了

太陽當空照

對我微微笑

他笑我年紀小

又笑我志氣高

年紀小志氣高

將來做個大英豪

〔第33首〕
“我來唱”一首歌
我來唱一首歌...

〞我來唱一首歌〞

我ㄨㄛˇ來ㄌㄞˊ唱ㄔㄤˋ一ㄧ首ㄕㄡˇ歌ㄍㄜ

你ㄋㄧˇ們ㄇㄣˊ來ㄌㄞˊ和ㄏㄜˋ

歌ㄍㄜ聲ㄕㄥ實ㄕˊ在ㄗㄞˋ好ㄏㄠˇ聽ㄊㄧㄥ

響ㄒㄧㄤˇ亮ㄌㄧㄤˋ諧ㄒㄧㄝˊ和ㄏㄜˊ

啦ㄌㄚ啦ㄌㄚ啦ㄌㄚ啦ㄌㄚ啦ㄌㄚ啦ㄌㄚ

啦ㄌㄚ啦ㄌㄚ啦ㄌㄚ啦ㄌㄚ

〔第34首〕
“好春光”
春光啊啦啦滴...

## 〃好春光〃

春光啊啦啦滴

明媚滴哩哩滴

百花咕嚕嚕滴開～ 喲

不要啊啦啦滴

辜負滴哩哩滴

好春咕嚕嚕滴光

〔第35首〕
"Goodbye"
記得我
Goodbye記得我...

〝 Goodbye 記得我 〞

Goodbye 記ㄐㄧˋ得ㄉㄜˊ我ㄨㄛˇ

當ㄉㄤ你ㄋㄧˇfar away

Goodbye 記ㄐㄧˋ得ㄉㄜˊ我ㄨㄛˇ

一ㄧˋ天ㄊㄧㄢ又ㄧㄡˋone day

春ㄔㄨㄣ天ㄊㄧㄢcoming　麻ㄇㄚˊ雀ㄑㄩㄝˋsinging

唱ㄔㄤˋ得ㄉㄜˊgood song

Goodbye 請ㄑㄧㄥˇ你ㄋㄧˇ記ㄐㄧˋ得ㄉㄜˊ我ㄨㄛˇ

〔第36首〕
"踏雪尋梅"
雪霽天晴朗…

## 〃踏雪尋梅〃

雪霽天晴朗

臘梅處處香

騎驢灞橋過　鈴兒響叮噹

響叮噹　響叮噹

響叮噹　響叮噹

好～　花插得瓶供養

伴我書聲琴韻

共度好時光

〔第37首〕
“沙里洪巴”
拉薩來的駱駝客呀…

"沙里洪巴"

拉ㄌㄚ薩ㄙㄚˋ來ㄌㄞˊ的ㄉㄜ˙

駱ㄌㄨㄛˋ駝ㄊㄨㄛˊ客ㄎㄜˋ呀ㄧㄚ˙

沙ㄕㄚ里ㄌㄧˇ洪ㄏㄨㄥˊ巴ㄅㄚ嘿ㄏㄟ唷ㄜ嘿ㄏㄟ

拉ㄌㄚ薩ㄙㄚˋ來ㄌㄞˊ的ㄉㄜ˙

駱ㄌㄨㄛˋ駝ㄊㄨㄛˊ客ㄎㄜˋ呀ㄧㄚ˙

沙ㄕㄚ里ㄌㄧˇ洪ㄏㄨㄥˊ巴ㄅㄚ嘿ㄏㄟ唷ㄜ嘿ㄏㄟ

〔第38首〕
"茉莉花"
好一朵美麗的茉莉花…

## 〝茉莉花〞

好一朵美麗的茉莉花

好一朵美麗的茉莉花

芬芳美麗滿枝椏

又香又白人人誇

讓我來將你摘下

送給別人家

茉莉花呀茉莉花

〔第39首〕
"高山青"
高山青 澗水藍 ...

〃高山青〃

高山青　澗水藍

阿里山的姑娘

美如水呀

阿里山的少年壯如山

啊～　啊～

阿里山的姑娘

美如水呀

阿里山的少年壯如山

〔第40首〕
"恭喜恭喜"
每條大街小巷…
天齊福鴻
福

# 〝恭喜恭喜〞

每ㄇㄟˇ條ㄊㄠˊ大ㄉㄚˋ街ㄐㄧㄝ 小ㄒㄧㄠˇ巷ㄒㄧㄤˋ

每ㄇㄟˇ個ㄍㄜˋ人ㄖㄣˊ的ㄉㄜ 嘴ㄗㄨㄟˇ裡ㄌㄧˇ

見ㄐㄧㄢˋ面ㄇㄧㄢˋ的ㄉㄜ 第ㄉㄧˋ一一句ㄐㄩˋ話ㄏㄨㄚˋ

就ㄐㄧㄡˋ是ㄕˋ恭ㄍㄨㄥ喜ㄒㄧˇ恭ㄍㄨㄥ喜ㄒㄧˇ

恭ㄍㄨㄥ喜ㄒㄧˇ恭ㄍㄨㄥ喜ㄒㄧˇ恭ㄍㄨㄥ喜ㄒㄧˇ你ㄋㄧˇ呀ㄚ˙

恭ㄍㄨㄥ喜ㄒㄧˇ恭ㄍㄨㄥ喜ㄒㄧˇ恭ㄍㄨㄥ喜ㄒㄧˇ你ㄋㄧˇ

- 社長／許丁龍
- 編輯／吳鳳珠、常祈天、陳紹輝
- 設計／邱月貞、林恩發、黃正豪
- 出版／風車圖書出版有限公司
- 代理／三暉圖書發行有限公司
- 地址／114台北市內湖區瑞光路258巷2號5樓
- 電話／02-8751-3866
- 傳真／02-8751-3858
- 網址／www.windmill.com.tw
- 劃撥／14957898
- 戶名／三暉圖書發行有限公司
- 初版／2006年01月